美しすぎるパワポ

川崎紗奈

電通　コピーライター／UXリサーチャー

扶桑社

INTRODUCTION
はじめに

私たちは今日も、美しくないパワポを一生懸命作っている。それを、たった一冊の書籍でデザイン化できるとしたら?

　この書籍の企画書は、こんな書き出しから始めました。美しくないパワポを一生懸命作っているというのは、まさに私自身のことです。

　広告会社のクリエイティブ局に勤めて10数年。日々アートディレクターと共に、さまざまな広告制作のお仕事をしていますが、自分ひとりで作るパワポの資料は圧倒的に洗練されていない。

　デザインを専攻したことのない自分には、どうすれば「伝わりやすい資料になるのか」がわからない。気づけば、時間ばかり過ぎてしまう。そんな自分自身の悩みから、「こんな本があったらいいのに!」と、この書籍の企画を立ち上げました。

だから、プロのアートディレクターが、PowerPointを本気で「デザイン」する。

　パワポには実はいろいろな機能が隠されていて、それをとことん駆使すれば「わかりやすく、目にも美しいデザイン」は絶対に実現できます。それをやったのが、この書籍です。

「なんとなくキレイ」や「それっぽい」ではなく、各要素にデザイン理論が息づくテンプレートを。プレゼンのスタイルに沿って計算された、もっと相手に伝わる資料を。

　そうして完成したのが、レイアウトや文字間、色味や線の太さまでひとつひとつ緻密にデザインされた、10種類のテンプレートです。ダウンロードしてそのまま使うもよし、使いながらアレンジしてみるもよし。初期設定は、まるっとやっておきました！あとはあなたが使うだけ。ぜひ、日々の資料作成にご活用ください。

川崎紗奈

HOW TO USE THIS BOOK
本書の使い方

STEP 1

まずはパラパラ眺めてみましょう

　ご自身が「どんなプレゼンをしたいか」、「どんな資料を作りたいか」イメージしてみてください。「やさしい印象にしたい」、「文字を詰め込んでもきれいにしたい」など、理想や悩みに応じたテンプレが見つかります

STEP 2

好きなデータをダウンロードします

　p.137のQRコードを読み込むか、記載してあるURLを直接打ち込んで、特設ダウンロードサイトへ行きましょう。本書で紹介している10パターン・全122枚のテンプレートがダウンロードできます。何度でもダウンロード可能です

STEP 3

設定不要！テキストや画像を埋めていくだけ

　色やフォント、レイアウトはすべてアートディレクターが設定済み。ダウンロードしたらパワポを開き、ガイド文言や本書のテンプレ利用例を見ながらスライドを埋めていきましょう。それだけで、伝わりやすい資料が仕上がっていきます

VARIETY OF SLIDES
ダウンロードできるスライドの種類

① 表紙

表紙スライドにはタイトルのほかに所属や日付などを記入できるテキストボックスがプリセットされています

② テキストと画像

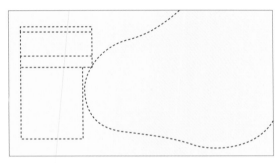

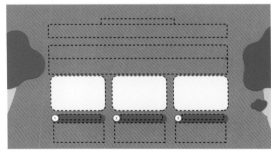

各テンプレートに2種類以上用意。画像がくりぬかれたデザインの場合、クリックして画像を貼ると自動的にその形になります

③ テキストのみ

[説明用]

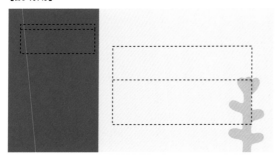

どんな内容にも使いやすいベーシックな説明スライド。文字の大きさや行間もあらかじめ設定済みなので、自然と読みやすいバランスに

[ひとこと]

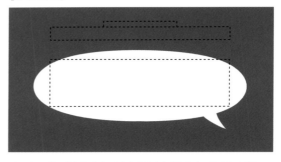

プレゼンで特に大切なポイントをわかりやすく伝えるスライド。冒頭でのゴール、途中のキーメッセージ、最後のまとめとなど色々使えます

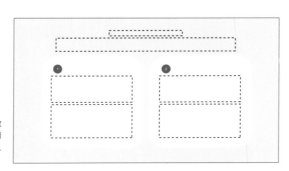

[項目を分ける]

説明したいポイントが複数ある場合に使いやすい。情報をすっきり整理して伝えることができます

④ データ・グラフ用

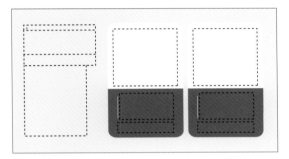

他の資料からグラフを貼るのはもちろん、グラフエリアをクリックすれば、そのテンプレートと同じ色・デザインのグラフをスライド上で作れます

⑤ 箇条書き

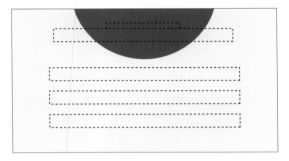

今後のタスクやToDoリストを記載したり、プレゼンの冒頭にアジェンダを書いたりと、実は使い勝手のいいスライドです

⑥ 白紙・その他

上記以外のスライドを作りたい場合は、白紙のスライドをご活用ください。ほかにもアレンジに役立つ各種素材を各DLデータに格納済み

CONTENTS
目次

堂々と力強く、自信にあふれたプレゼンに！ "つよつよ"パワポ

大きく太い文字のパワポ資料は、一歩間違えれば野暮ったくなる"鬼門"。だからこそ、デザインの力が活きてきます。堂々としつつもうるさすぎない、力強いデザインで勝つ。まさに"勝負の場"で使いたいテンプレートです。

Sample Theme:

[スポーツ用品]

PAWAPO SPORTS 2024秋冬 プロモーション案

2024/7/20
PAWAPO SPORTS　広報マーケティング部

扉は全面を黒地にしつつ、蛍光色を差し色に採用。自信を感
じさせる無骨さと、先進的なイメージを織り交ぜています

BACKGROUND

伸び続ける宅トレ需要

SNSを中心に「宅トレ」の人気が急上昇。
スポーツウエアが活きるシーンも増えている。

今後もこうした傾向は強まることが予想され、
「スポーツ」と「生活」を明確に分けるのではなく
日々の生活の延長線上にスポーツウエアを置くことが重要だ。

2

背景を説明するスライド。文字サイズを小さく設定し、
マーカーの色も指定済み。重要部分を目立たせましょう

GOAL

"**20代ライト層の獲得**"

いわゆるアスリートスポーツだけでなく、日々の生活のなかに
根付いている様々な運動シーンで着用できるような、
よりカジュアルなシーンを軸に、新規ユーザーの獲得を目指す。

3

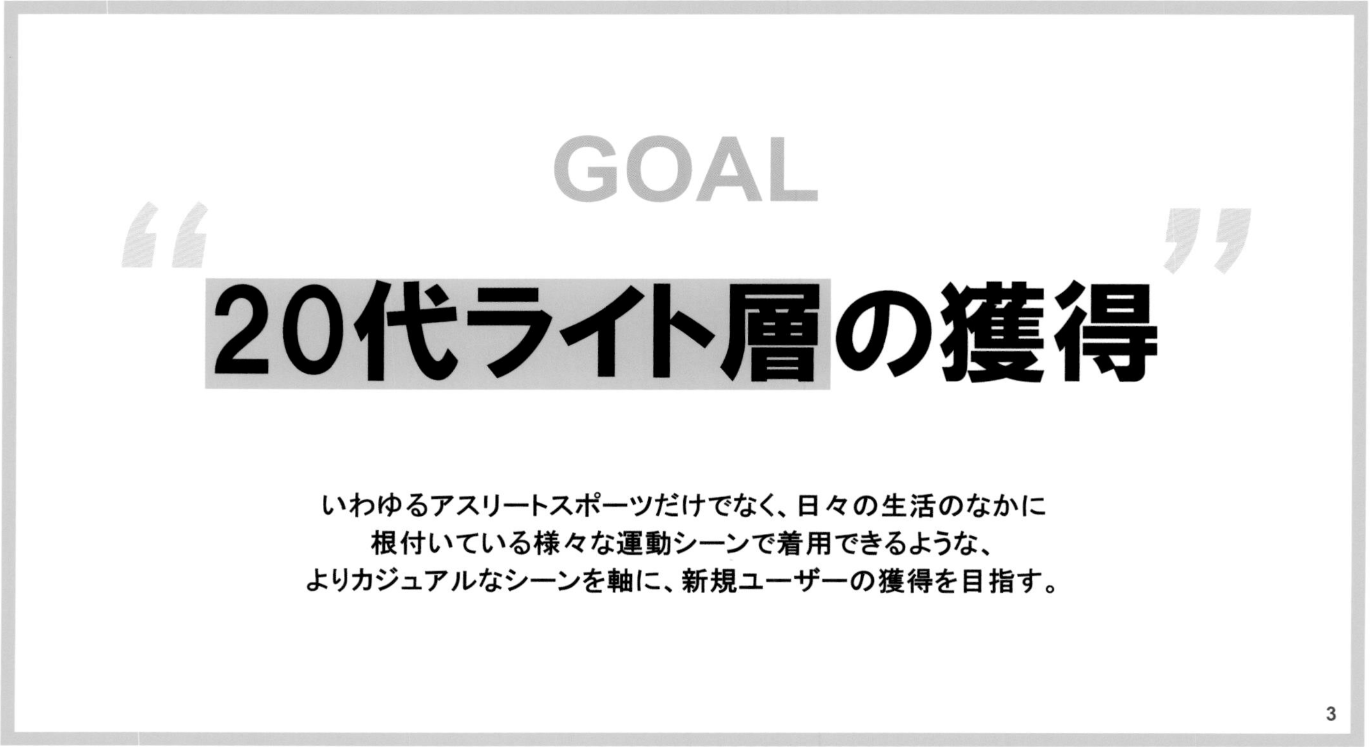

タイトルを大きくして主張を押し出しています。達成目標など、
もっとも伝えたいメッセージをここに書きましょう

TARGET

スポーツを ファッション的に 楽しみたい20代男女

● 機能よりもデザインとコスパ。
● ジム通いはしていないが、スマホで簡単な
エクササイズ動画を視聴。
● スポーツウエアは、あくまでポイントづかいと
して取り入れたい。

TEMPLATE: 1

4

ここではテキストを左揃えに設定済み。こうすることで
写真に添える文章量が多くてもまとまった印象に

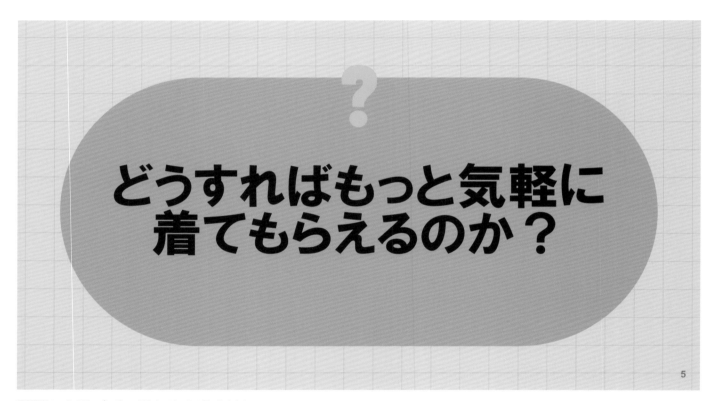

問題提起のスライド。プレゼンに緩急をつけ、見る側の集中力を
コントロールできるよう、あえて一文に

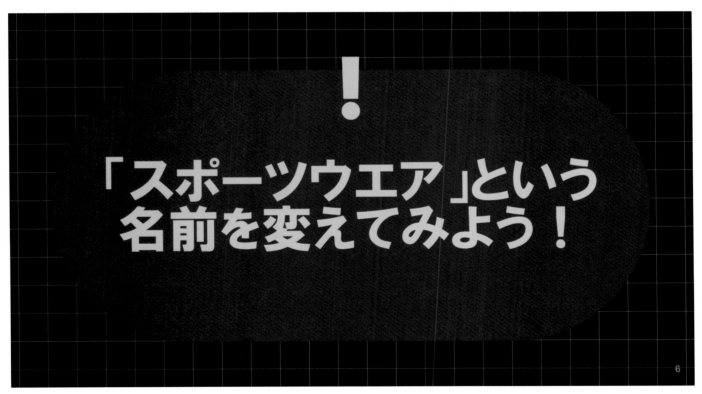

前スライドへの回答や提案をワンセンテンスで返す展開。「！」
のアイコンがプレゼンの流れに対する理解を早めてくれます

展開を生む中扉のスライド。背景に薄い格子柄を入れることで、
絵面の奥行きや他のスライドとの統一感を出しました

IDEA

A

ウエアではなく "普段着" 毎日コーデ提案

スポーツウエアの機能性の高さを、快適＝comfortと解釈。英語で口語的に使われる"comfy"というキーワードをもとに、日常シーンに溶け込むスポーツコーデを"comfy mode"とネーミング。
「宅トレ」「友達と遊ぶ」「通勤」といった日常シーンに、スポーツウエアを1点使ったコーデを提案。

8

画像を左端まで拡大。メッセージを象徴するイメージを貼りましょう。
視界のノイズをなくすため、格子柄は外しています

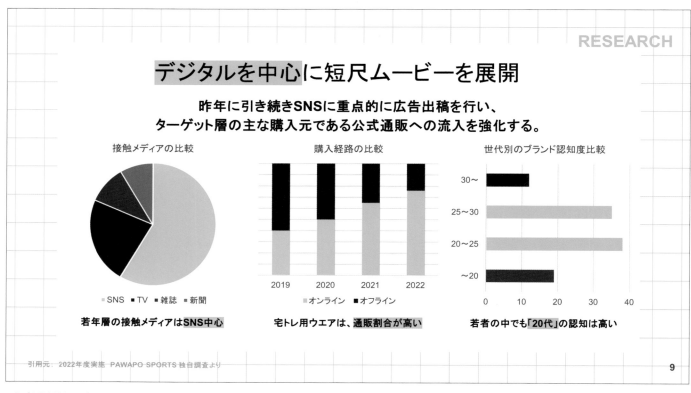

RESEARCH

デジタルを中心に短尺ムービーを展開

昨年に引き続きSNSに重点的に広告出稿を行い、
ターゲット層の主な購入元である公式通販への流入を強化する。

接触メディアの比較

■ SNS ■ TV ■ 雑誌 ■ 新聞

若年層の接触メディアはSNS中心

購入経路の比較

2019　2020　2021　2022

■ オンライン ■ オフライン

宅トレ用ウエアは、通販割合が高い

世代別のブランド認知度比較

30〜
25〜30
20〜25
〜20

0　10　20　30　40

若者の中でも「20代」の認知は高い

引用元：2022年度実施　PAWAPO SPORTS 独自調査より

9

いちばん目を引きたい部分をキーカラーであるグリーン
に設定して重要部分を理解しやすいようにしています

SUMMARY

A 今期のゴールは20代ライト層獲得

B 日常に根付いたシーンになじむ
コーデ提案を行う

C SNSから公式通販への連動強化

10

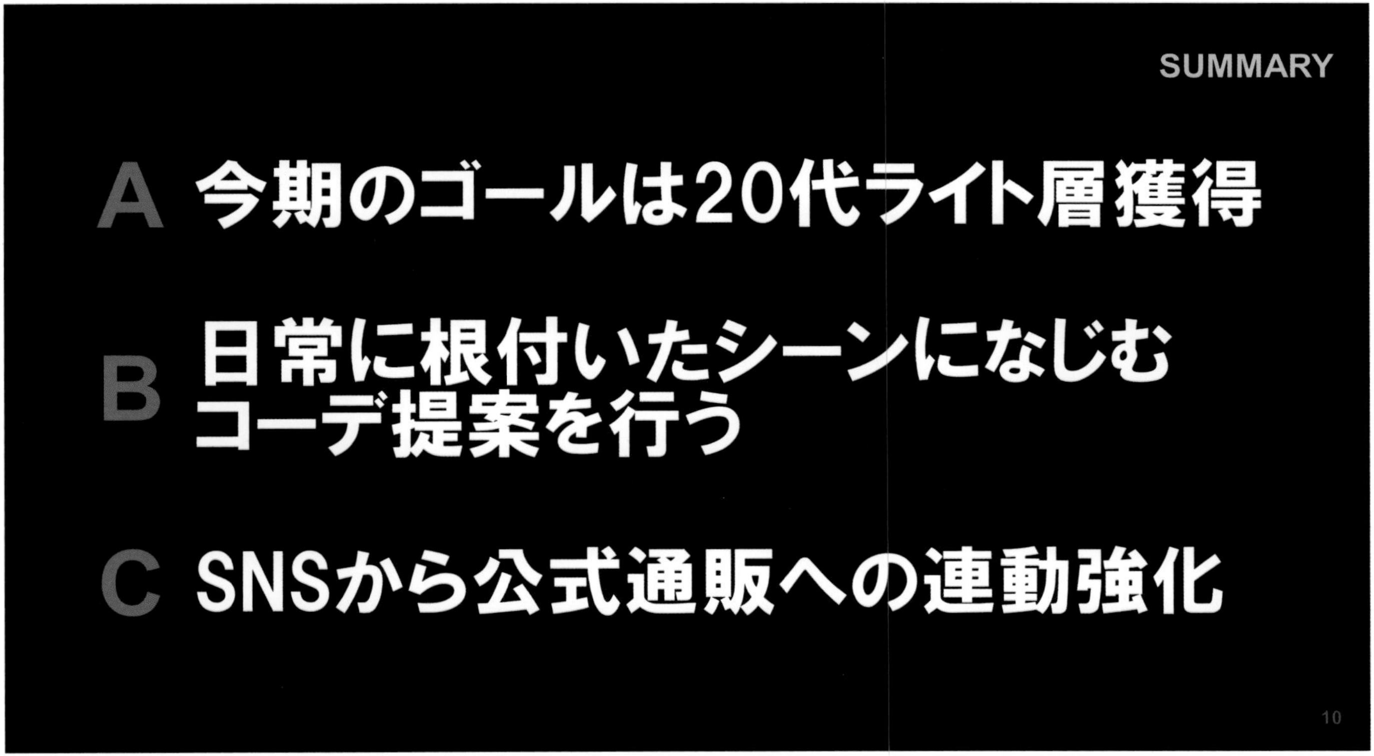

表紙の印象に回帰する、黒地に白太字でのまとめ。
シンプルながらも主張を堂々と伝えられるデザイン

このテンプレートを使って、力強い提案に仕上げるには？

言葉も堂々と。特に見出しは短く切ろう

BEFORE

冗長な印象の見出し

GOAL

" 2025年を目途に、業界内
シェア3％UPを目指していきます。"

2010年代以降、長年業界内3位〜4位で推移してきた当ブランドですが、
2023年度は、デジタル広告の運用比率をより高めていくことで
ECサイトとの連動を行い、2025年までに業界2位と同等のシェアを目指します。

2

✕ 「説明口調」の文章は読みにくく弱い印象に

AFTER

主張が明確な見出し

GOAL

" 業界内シェア3％UP "

2010年代以降、長年業界内3位〜4位で推移してきた当ブランド。
2023年度は、デジタル広告の運用比率をより高めていくことで
ECサイトとの連動を行い、2025年までに業界2位と同等のシェアを目指す。

2

○ 1行に収めたぶん文字が大きくて目立つ

POINT

見出しはスライドの顔。
「自信」を感じさせて、
伝わるプレゼンに

1 文章で書かずにキーワードで書く

資料に書く言葉はプレゼンを読み上げるための「台本」ではないので、大切な点だけを抽出することを心がけましょう。

2 一番重要なポイントにマーカーをオン

プレゼンの内容は、意外と一部しか相手の印象に残りません。マーカーを引いて、ポイントのみを強調しましょう。

3 「である」調と「体言止め」を駆使

このテンプレには、ですます調よりも断定口調がフィットします。文章をを細かく切ることで、より堂々とした印象に。

HOW TO USE

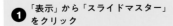

このテンプレートを、自分流に使いこなすには？

背景の色は編集も可能。アレンジを楽しんで

BEFORE

黒と蛍光色を利かせたデフォルトの色

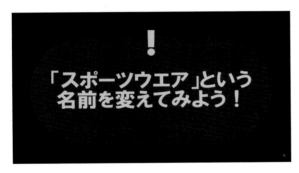

迷ったらテンプレートのままでOK。
自動的に「つよつよ」カラーに

シャープな印象が残るよう計算されたデフォルトカラーは、そのまま使ってもOK。特定のカラーを用いたい場合は、右のようにビビッドなカラーへのアレンジがおすすめです。

AFTER

商材や企業カラーに合わせてアレンジ

らくらくポイント

パワポの基本機能で編集可能。
デザインソフトは必要なし

背景の色は、「スライドマスター」の設定から自由に変えられるようデザインされています。下記の手順に沿って色をセレクトすればOK。

STEP 背景変更の手順

❶ 「表示」から「スライドマスター」をクリック ▷ **❷** 「背景の書式設定」で「色」をクリック ▷ **❸** 好みの色を選択し、「すべてに適用」で一気に変更可能

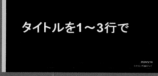

表紙

中扉

見出しと本文

項目を分ける

ひとこと

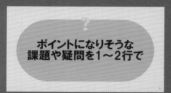

仮説や課題

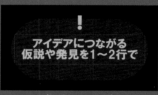

気づきやメッセージ

画像（小さめ）

画像（大きめ）

データ

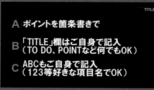

箇条書き

複数画像

白紙（枠付き）

白紙

ICHIMORI KANAKO

一森加奈子

アートディレクター

1995年大阪府生まれ。2018年武蔵野美術大学視覚伝達デザイン学科卒業。ロゴデザインやブランディングなどを得意とする。ポップで誰にでもわかりやすいアートディレクションが好き。主な受賞歴にニューヨークADC、TOKYO TDC、ACC、SABRE AWARDSなど

CONCEPT & MESSAGE

プレゼンで重要なのは、ただひたすら主張を押し通すのではなく、メッセージを"引き算"して端的にすることだと思います。長文の書きづらい中央揃え、1色の差し色……、自然とその引き算ができるテンプレになってます。差し色もマスターで変えられるので、目指す印象や提案企業のカラーにするのもオススメです。デザインには必ず理由があり、特別なセンスなど必要なく真似できる。それを実感してもらう、きっかけになれば幸いです。どうぞお楽しみください。

そっと寄り添うように。
穏やかな印象を残す、
"やさしい"パワポ

はじめましてのときや、心情に寄り添いたいとき。主張を
強く押し出すよりも、まずは安心して相手に聴いてほしい。
そんなプレゼンも実は多いような気がします。その場が穏
やかになるようなプレゼンをしたいときにお使いください。

Sample Theme:

[**衛生用品（せっけん）**]

PAWAPO
ORGANIC SOAP

2025年度　新商品プロモーション戦略

2024/7/20

上の例では写真入りの表紙としていますが、画像を外しても成立す
る汎用性の高いデザイン。囲い線も角を丸くしてやわらかな印象に

2-2 ＿ ストーリー

story

コロナ禍以降、手洗い回数が倍増。
肌あれを気にする方も増えました。

2020年以降、コロナウイルス対策として家庭での手洗い回数は約2.5倍となり、アルコール除菌用品やせっけん市場は拡大しました。特に無添加せっけんは、敏感肌のユーザーに広く支持されており、アルコールによるかぶれや肌あれを避ける目的で購入されることも多いようです。

本商品は、肌への刺激となる成分をとことんカットしながら、しっかりとした濃密な泡立ちを実現。さっと洗うだけで、洗いのこしが少ないのが特徴。また、泡立てるとはちみつのような甘い香りがやさしく広がることで、手洗いの時間が楽しくなる点も長年ユーザーに愛されているポイントです。

長めの本文を入れても、マーカーで重要部分がすぐにわかります。
マーカーは白色に設定してあるので主張しすぎません

target

親子ユーザーを中心に、
敏感肌の単身ユーザーも見据えます。

全国の子育て世帯のうち、特に商品成分への感度が高い、
乳幼児のいる家族ユーザーがメインターゲット。母親から
の購買だけでなく、父親からの購買も推進すべく、来年に
はパッケージの変更を予定しています。今後は、子育て世
帯だけでなく、自分自身のお肌をいたわりたいと考える首
都圏20〜30代の敏感肌単身ユーザーの獲得も目指します。

1/2を写真で見せるスライド。本テンプレートのキーカラーである、
青みがかったグレーはどんな画像にも馴染みます

2-4_ アイデア

idea

パッケージの使用素材と
デザインをアップデート。

これまで本ブランドは母と子を強く連想させるパッケージを広告として
も活用してきましたが、これから見据えるターゲット像に寄り添う
ため、パッケージをシンプルなデザイン＆エコな素材に変更します。

大部分が画像のスライド。こちらも角を丸くしてやわらかな印象に。
画像は編集で色味をニュートラルにすると、さらになじみます

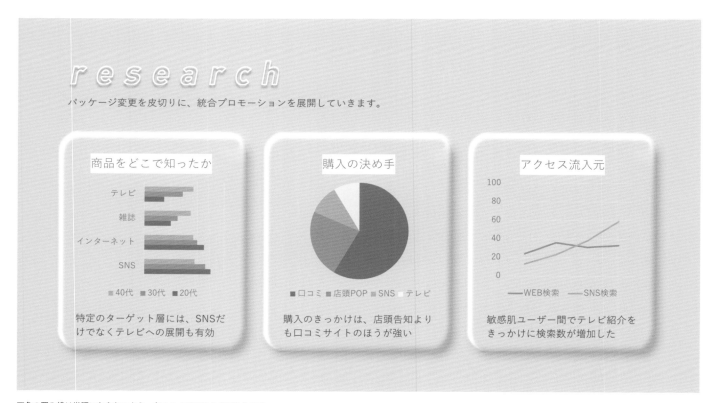

research

パッケージ変更を皮切りに、統合プロモーションを展開していきます。

商品をどこで知ったか

テレビ
雑誌
インターネット
SNS

■40代 ■30代 ■20代

特定のターゲット層には、SNSだけでなくテレビへの展開も有効

購入の決め手

■口コミ ■店頭POP ■SNS □テレビ

購入のきっかけは、店頭告知よりも口コミサイトのほうが強い

アクセス流入元

100
80
60
40
20
0

—WEB検索 —SNS検索

敏感肌ユーザー間でテレビ紹介をきっかけに検索数が増加した

四角の囲み線は単調にならないよう、各スライドで凹凸が異なります。
こちらではグラフや画像を強調するため、線を凸としました

summary

せっけん市場は、追い風傾向に。
しっかり洗えて肌にやさしいブランドの強みを活かします

親子ユーザー以外にリーチを広げます。
敏感肌の単身ユーザーへのプロモーションが課題です

パッケージの大々的な変更を行います。
よりターゲットを広げていくためのミニマルなデザインに

統合プロモーションを重点的に展開します。
SNSだけでなく、雑誌やテレビを活用することが重要です

まとめなどに使えるスライド。箇条書きのマークは個別にコピーやペーストが可能です。ぜひご活用ください

このテンプレートを使って、やわらかな印象の資料に仕上げるコツは？

口調もやわらかく、そっと語るように書く

BEFORE

無機質で硬めな印象の言葉づかい

× 「断定口調」や熟語の多用は
資料全体が冷たい印象に

AFTER

視覚的にもやさしい言葉づかい

○ 「です・ます調」で熟語を減らすと
長文でもすっと伝わりやすい

POINT

語り口調ひとつで
意外と印象は変わる。
語尾をテーマに合わせよう

1 子どもに語りかけるような
イメージで

読み手にやさしい資料を目指したこのテンプレ。例文を参考にしながら、平易な言葉を選ぶよう意識してみましょう。

2 漢字をあえて
ひらがなで書く裏技も

「一人」⇒「ひとり」や「創出する」⇒「つくっていく」など、ひらがなを用いると資料全体がやわらかな印象に整います。

3 煮詰まったら
改行で余白を設ける

このテンプレートは本文の量が比較的長く書けるデザイン。改行を挟むことでスペースが生まれ、心地よさが増します。

このテンプレートを、さらに使いこなすには？

オブジェクトは、用途に応じて変更可能

BEFORE
グラフが置かれた初期テンプレート

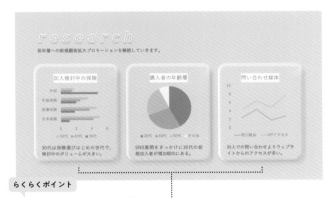

AFTER
画像用のスライドにアレンジ

らくらくポイント

クリックすればグラフを消せる

しかも、グラフの周りにあしらわれた四角い枠は誤って消さないよう、背景に固定して設定済み。レイアウト崩れを気にせずアレンジできます。

イメージ画像で印象チェンジ

上記の例では、紹介したいサービスの流れを伝える画像にアレンジ。全体のバランスはキープしたまま、文章を増やしたり、用途に合わせて編集・活用できます。

STEP オブジェクト変更の手順

❶ スライド上で、消したいオブジェクトをクリック

❷ キーボードで消去

❸ 貼りたい画像等を外枠に合わせて貼り付ける

配布データ一覧

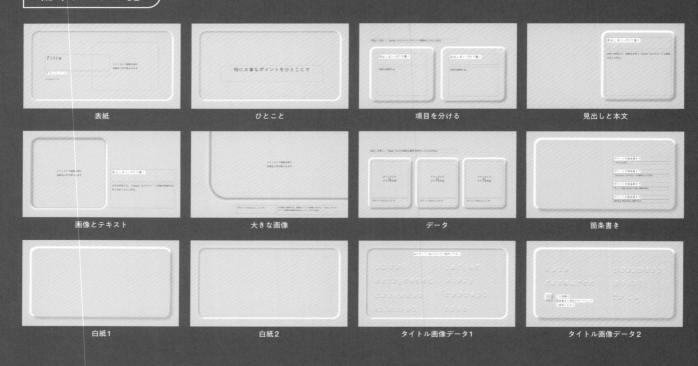

表紙

ひとこと

項目を分ける

見出しと本文

画像とテキスト

大きな画像

データ

箇条書き

白紙1

白紙2

タイトル画像データ1

タイトル画像データ2

TADA ASUKA

多田明日香

アートディレクター

武蔵野美術大学・基礎デザイン学科卒業。広告代理店で働きながらセルフワークとしてブランド「La」を立ちあげ、日々の記憶や思考をグラフィックにしプリントしたスカーフなどを展開している。飛鳥新社より『flora』を出版。主な受賞歴に朝日広告賞、日本パッケージデザイン大賞、GOOD DESIGN賞、キッズデザイン賞など

CONCEPT & MESSAGE

　本テンプレはやわらかく、やさしく伝えるデザインを意識して作りました。やさしいトーンをつくるため、少ない色数で構成していますが、どの情報が重要なのかわかりやすくなるようデザインしています。

　このテンプレートはやわらかさや、やさしさだけではなく、誠実さや清潔感などの印象も与えるものに仕上がったと思っています。プレゼンを聴く人だけでなく、プレゼンする側も、気分を落ち着けて穏やかな気持ちで提案していただければ嬉しいです。

突き抜ける明るさで。
組み合わせるほど楽しい
"ポップ"なパワポ

見ているだけで楽しい資料なら、きっと聴き手の心もつかみやすい。パワポの資料でここまで遊べて、読みやすさはキープ。プロだからこそ作れるメリハリの利いたレイアウトで、明るく躍動感のあるプレゼンをしたいあなたに。

Sample Theme:

[清涼飲料水（ジュース）]

漫画の吹き出しを使用した、躍動感のあるデザインを扉に利用。
テキストまわりは白黒で視認性を高めています

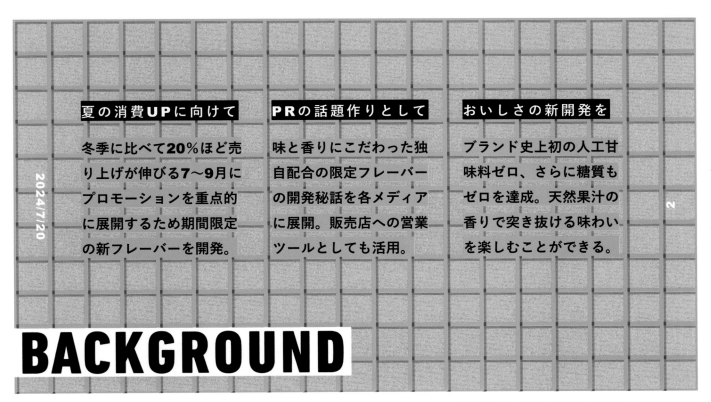

夏の消費**UP**に向けて

冬季に比べて**20**％ほど売り上げが伸びる**7**〜**9**月にプロモーションを重点的に展開するため期間限定の新フレーバーを開発。

PRの話題作りとして

味と香りにこだわった独自配合の限定フレーバーの開発秘話を各メディアに展開。販売店への営業ツールとしても活用。

おいしさの新開発を

ブランド史上初の人工甘味料ゼロ、さらに糖質もゼロを達成。天然果汁の香りで突き抜ける味わいを楽しむことができる。

2024/7/20

TEMPLATE: 3

2

BACKGROUND

パワポのマーカー機能を上手く活用。ピンクとターコイズの背景は、明度を適度に抑えることで、派手過ぎず説得力を保てます

3-3 ＿ ターゲット

Z世代とSNS派のティーンに

2024/7/20

SNS接触時間が多い10代を中心とした若年層に特化。友達と過ごす時間に重きを置く世代に向けて「飲みもの」を超えた青春アイテムとして商品を設計。

TARGET

一見、派手に見えながらも文字組みは基本を押さえて読みやすく。
画像にイエローのシャドウを設定して立体感を演出しました

人に教えたくなる強炭酸
シトラス系の天然果汁をMIX

2024/7/20

写真映えに振り切ったパッケージ

TEMPLATE:**3**

4

IDEA

飲む瞬間をシェアしたくなる商品開発がポイント。

2枚の画像を使ったレイアウト。各スライドの色味を劇的に
変えつつも、文字組は一貫させ統一感を保っています

デジタル活用がマスト

昨年以降、動画**SNS**からの公式サイト流入が増加している。

今年度もスマホ用縦型の短尺動画広告の出稿を強化するなど、

デジタルに特化した広告展開を継続していく。

2024/7/20

RESEARCH

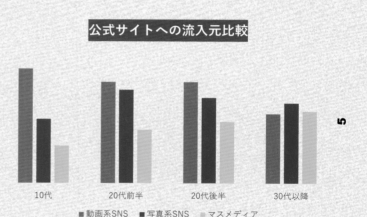

公式サイトへの流入元比較

5

10代　20代前半　20代後半　30代以降

■動画系SNS　■写真系SNS　■マスメディア

ここではテキストに使うマーカーの色を背景のベージュになじませ、グラフがより目立つように設定しました

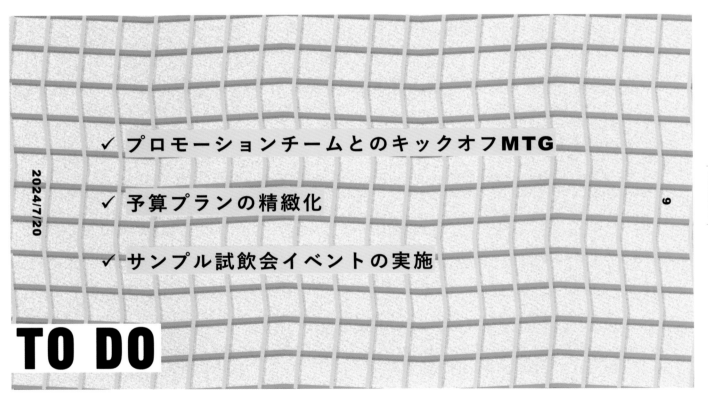

2024/7/20

✓ プロモーションチームとのキックオフ**MTG**

✓ 予算プランの精緻化

✓ サンプル試飲会イベントの実施

TEMPLATE: **3**

9

TO DO

格子の背景をベースにしつつ、線を歪ませて動きのある印象に。
左下のタイトル画像は、DL後に位置や種類を変更可能です

このテンプレートを使って、ポップな資料に仕上げるコツは？

パワポのマーカー機能をデザインに活用

○ あらかじめ設定されたマーカーがデザインの一部に。ポップな背景でも読みやすい

らくらくポイント①

**書いた文字の量に合わせて
自動でマーカーが引かれる！**

あらかじめマーカーの設定が完了しているこのテンプレート。ダウンロードしたら、テキストボックスに書き込んでいくと文字を入力した部分だけに自動で色がつきます。

らくらくポイント②

**各スライドの背景色に
ぴったりのマーカー色を設定済み！**

各スライドのマーカーは、そのスライドの背景の柄・色味に合わせて、最も合う色に設定済み。ポップな柄の上でもきちんと視認性を担保し、バランスをキープしています。

このテンプレートを、さらに使いこなすには？
異なる柄の背景を、自由に組み合わせてみよう

PATTERN1 表紙にインパクトを持たせた場合

PATTERN2 吹き出しデザインを途中で使う場合

POINT

好きに選べばOK！
どんな並びでもポップ
にまとまります。

1 テンプレートには
全11種の背景を格納

ダウンロードデータには、背景がすべて
異なるスライドを格納済み。どの順番で
も、全体の世界観は統一されるよう設計。

2 表紙以外を1種類で
統一してもOK

同じスライドデザインで揃えてもOK。
どのスライドも、背景の柄以外の要素は
自由に切り貼りできて安心です。

3 特に伝えたい内容は
吹き出し背景で

特にポップ度が際立つ吹き出しのスライ
ドは、資料の中でいちばん伝えたいポイン
トに使うと、メリハリがつきます。

配布データ一覧

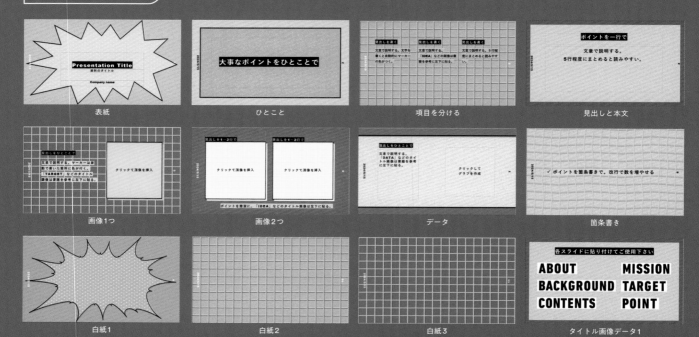

表紙

ひとこと

項目を分ける

見出しと本文

画像1つ

画像2つ

データ

箇条書き

白紙1

白紙2

白紙3

タイトル画像データ1

タイトル画像データ2

ISHIZAKI RIKO

石崎莉子

アートディレクター

1992年生まれ。2015年武蔵野美術大学卒、同年電通入社。若年層に向けたポップなトーンから、幅広い年代に向けた王道感のあるビジュアルまで広く手がける。趣味はテナーサックスを演奏すること。主な受賞歴に日経広告賞最優秀賞、朝日広告賞不動産・金融部門賞、毎日広告デザイン賞優秀賞など

CONCEPT & MESSAGE

　カラフル！元気！ポップ！な、今まで見たことのないパワポを目指しました。どんなページの組み合わせにしてもまとまって見えるところが気に入っています。

　制作に乗り出す前はパワポで"遊んだデザイン"はできないと思っていましたが、意外とクリエイティブに作っていけることがわかりました。

　例えば「推し活」資料を作るとき（パワポで作るのかという疑問がありますが）推しの写真をポンと入れて、文字を添えるだけで「人に見せたくなる」パワポになるはずです。

言葉をとことん削ぎ落とす。洗練された佇まいが効く "余白" のパワポ

余計なことは言わないけど、すべてが足りている。忙しいときでも、読めばすっと腹落ちする。そんな資料を作るためのデザイン。言葉を徹底的に削ぎ落とすことで、大切なポイントが伝わりやすくなりました。整然さと鋭気を感じさせたいあなたに。

Sample Theme:

[アパレル用品（Yシャツ）]

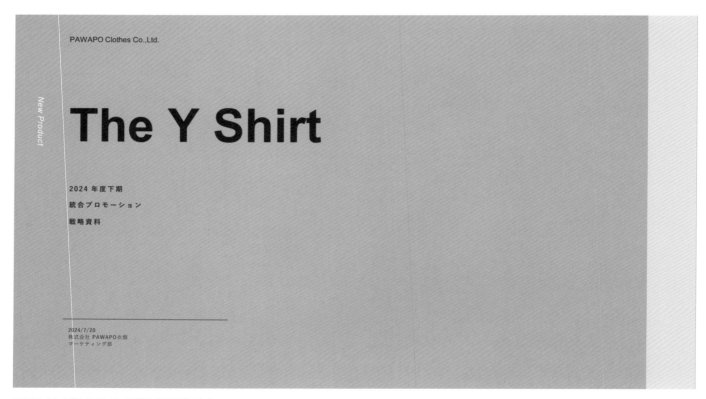

余白をとことん増やすことで、視覚的に整うだけでなく、
文字や画像などの情報が厳選され瞬時に伝わります

BACKGROUND

背　景

紳 士 用 シ ャ ツ 市 場 は 回 復 傾 向 に

在宅勤務から出社への回帰等の情勢変化により、2022年度下期はシャツ市場の売り上げは回復傾向に。今後は出勤時のファッションスタイルの変化に対応が必要となる。

競 合 他 社

天 然 素 材 ブ ラ ン ド が 続 々 と 誕 生

ファストファッションとハイブランドの間に位置づけられるデザイナーズブランドが増え、天然素材等の素材の品質をブランディングに有効活用する事例が増えている。

目　標

ブ ラ ン ド 認 知 を 大 き く 高 め る

他社に比べてターゲット層の認知度が低いことが課題。今期は年間を通じて旗艦店エリアを中心とした広告を重点的に展開することで、認知度の底上げを図っていく。

見出しはホワイトで目立たせています。入る文字数を少なめに設定しているので、優先度の高いものをテキストにしましょう

/ TARGET

世代　30〜40代
性別　男性がメインターゲット
エリア　大型店舗のある都道府県
思考　自己実現を重視
情報　効率的なデジタル派

インプットは基本スマホで。サブスクを駆
使して効率的に。だけどきちんと人と会っ
たり、紙の書籍を買ったり、リアルな体験
ならではの価値も大切にしたい。

Keyword
快適な上質さ × 自己実現

P.3

情報はなるべく圧縮してシンプルに。ここも最下部のキーワードは
ホワイトにすることでで目立たせています

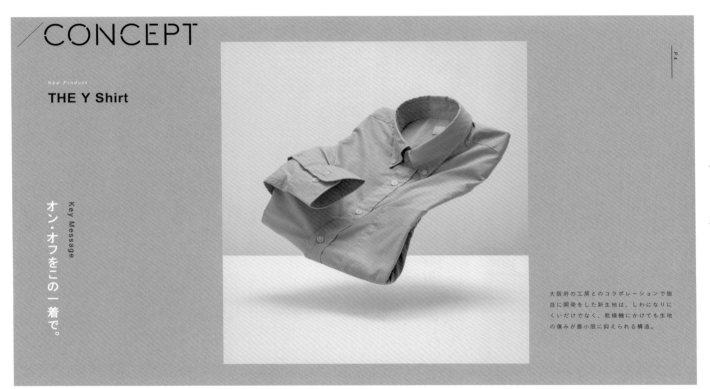

/CONCEPT

P.4

TEMPLATE : **4**

New Product

THE Y Shirt

Key Message

オン・オフをこの一着で。

大阪府の工房とのコラボレーションで独
自に開発をした新生地は、しわになりに
くいだけでなく、乾燥機にかけても生地
の傷みが最小限に抑えられる構造。

大きな画像とキーワードのみを目立たせ、情報の重要度を明確に
しました。また、グレーの背景はどんな画像にもなじみます

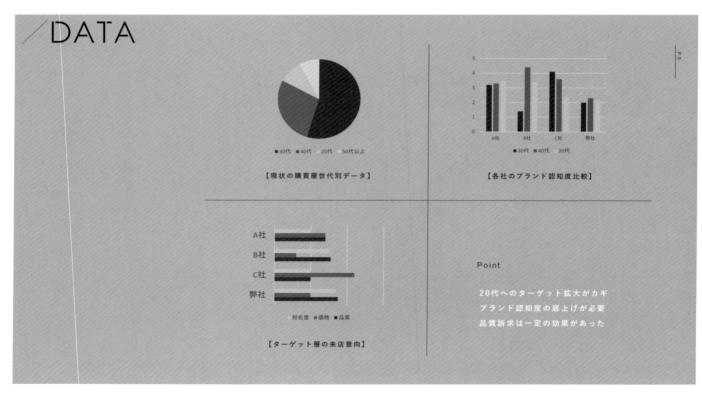

／DATA

P.5

【現状の購買層世代別データ】
■30代 ■40代 ■20代 ■50代以上

【各社のブランド認知度比較】
■30代 ■40代 ■20代

A社
B社
C社
弊社

知名度 ■価格 ■品質

【ターゲット層の来店意向】

Point

20代へのターゲット拡大がカギ
ブランド認知度の底上げが必要
品質訴求は一定の効果があった

各データのポイントを右下の白字に集約。細かくデータを
見せるのではなく、一番伝えたいことを抽出しましょう

／SUMMARY

P.6

TEMPLATE：**4**

本日のゴール
今後のタスク
課題のまとめ

1——————— 市場傾向と全体像に関するチーム内での目線合わせを行う

2——————— ターゲット像のイメージと新商品の特徴に関して共有する

3——————— 他社と比較したブランドの現状をデータから理解し議論する

4——————— 商品開発部と広告宣伝部の社内ＭＴＧをセッティングする

5——————— 店頭と連動するかたちでのプロモーションの具体案を検討する

ポイントを目立つ白字でレイアウト、一行で
おさまるよう端的に書くのがオススメです

このテンプレートを使って、余白で魅せる資料に仕上げるコツは？

一番言いたいこと以外は、何も書かない勇気を

BEFORE

余白の少ないレイアウト

✕ 長すぎる本文。大切なポイントが埋もれている

▷

AFTER

十分な余白をとったレイアウト

○ 余白をキープ。読むべき箇所が一目瞭然

POINT

資料はプレゼンの「台本」にあらず！何度も削ぎ落とそう

1 文章より先にキーワードを埋める

要素を極限までそぎ落とし、見出しや項目名の印象を残すよう計算。ポイントを単語で埋めてみましょう。

2 書きながら考えない

考えがまとまらないまま手を動かすと冗長になりがち。「このスライドで一つだけ言いたいことは？」と考えましょう。

3 書きつくせない内容は口頭で補足

長く説明を書いても、相手に覚えられるのはごく一部。優先順位の低い内容はプレゼンの場で補足する前提で。

余白 DLして アレンジ しよう

このテンプレートを、さらに使いこなすには？
スライドの見出しを自由に差し替えてみる

BEFORE
「まとめ」用のタイトル

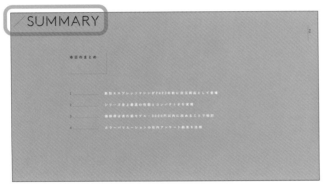

AFTER
「今後のタスク」用のタイトル

らくらくポイント

フォントの追加ダウンロード不要。
よく使う見出しを、オリジナル画像で配布

使い勝手の良いスライドタイトルを、オリジナルデザインで作成。画像として配布するテンプレートのダウンロードデータに格納されているので、「コピペ」でガイドに沿って貼ればすぐに差し替えられます。

/ABOUT　　　/STORY　　　/DATA
/BACKGROUND　/CONCEPT　　/RESEARCH
/CONTENTS　　/IDEA　　　/SUMMARY
/MISSION　　　　　　　　/POINT
/TARGET　　　　　　　　/TO DO

配布データ一覧

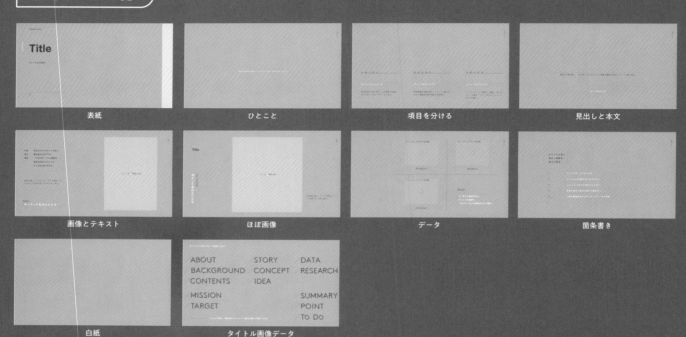

表紙

ひとこと

項目を分ける

見出しと本文

画像とテキスト

ほぼ画像

データ

箇条書き

白紙

タイトル画像データ

ABOUT　STORY　DATA
BACKGROUND　CONCEPT　RESEARCH
CONTENTS　IDEA

MISSION　SUMMARY
TARGET　POINT
　　　　TO DO

KATO HIROYUKI

加藤寛之

アートディレクター／
グラフィックデザイナー

仕事の内容、規模問わず、「美しく伝える」ということを理念に、アートディレクション、グラフィックデザインで実践しています。主な受賞歴にCannes Lions、CLIO、ADFEST、D&AD、NY ADC、SPIKES、ONE SHOW グランプリ、東京ADC賞、ACC 金賞、NAMI Concours 金賞など

CONCEPT & MESSAGE

　例えば、会話の相手が息つぎなしに一方的に喋り続けてきたら、聞く側は疲れますよね。大概、こういった場合は内容も入ってきません。"余白"を活かすというのは、言わば「息つぎ」をして、落ち着いて相手に聴いてもらいやすくすることに近いかもしれません。

　余白を単なる空いたスペースではなく、情報を伝えやすくするために存在する意味のあるスペースなんだという意識をもってもらえれば、見やすい資料を作るにあたって大きなヒントになると思います。

文章が増えすぎてもOK。
ずっと読みやすさ続く、頼れる
"整理"パワポ

"パワポあるある"な、文字や図形入れ込みすぎ問題。とはいえ、
どうしても削れない文章もある。データやグラフも、しっかり
説明したい。それなら、デザインの力で情報過多でもとことん
読みやすくすればいい。とにかくたくさん説明することがある
ときに使いたい、心から頼れるパワポがここに。

Sample Theme:

[自治体説明会]

派和保市
商店街活性化
施策について
地域クーポン券説明資料

派和保市役所市民生活課

文字数が多いことを前提にしたテンプレート。スライドで文字の
サイズにメリハリを大きくつけ、情報の優先度も明確にしました

さらに豊かな派和保商店街を目指して

市オリジナルの地域クーポンでお得にお買い物ができます。

派和保市内にある商店街は全部で8つ。市役所隣にある派和保駅から東西南北にそれぞれ広がる大通り沿いの商店街は、食材や薬局、用具店など日々の暮らしに欠かせないアイテムが揃います。また、市街の中心にある派和保神社へとつながる道に沿って広がる4つの商店街は、おだんごやおまんじゅう、おみやげなども揃っていて観光にぴったりです。すべての商店街の長さの合計は、なんと10km。市内にこれだけ大規模な商店街が発展してきたのは全国でも珍しく、いまでは派和保市の観光名所のひとつになっています。

これまで派和保市では、市内で長らく発展してきた地元商店街の活性化施策として、商店街を会場とする市民向けイベントの実施や地域の小学校とのポスター制作、商店街マスコットの開発等さまざまな広報活動を行ってきました。派和保市に暮らすみなさまの毎日のお買い物を支える派和保市の商店街は「市の守るべき財産」であると考え、今年度は市民の方が地元でのお買い物をさらにお得にできる地域クーポン券の発行・販売を行っていきます。また、2017年に生まれた派和保市公式キャラクター「ぱわぽん」は広報物やイベントを通じて市民のみなさまに愛されています。本クーポン発行期間中は各商店街に「ぱわぽん」も登場する予定です。

※派和保市内の商店街の歴史に関しては、市公式ホームページで詳しくご紹介しています。
※「ぱわぽん」の登場スケジュールに関しては、市公式ホームページのお知らせをご覧ください。

見出し・本文・注釈もブロックごとにまとめすっきりした印象に。
文字数の多い本文もマーカーを付けることで見やすさをUP

5-3 __ ミッション

つながるくらし
宣言達成のために

派和保市は、市内での暮らしをよりよく発展させていくために2015年に市独自の「つながるくらし宣言」を発表しました。この宣言では、①人と人のつながり②次の世代へのつながり③人と地球のつながりという3つの観点から、市民同士の交流・子育て支援・環境負荷の低い経済活動等を市が手厚くサポートしていくことで、一人一人の市民にとって派和保市での暮らしがより豊かになることを目指しています。

今回の取り組みでは、地元商店街で使える地域クーポン券を発行することで、特に①人と人とのつながりに貢献し、商店街を会場としたイベントを開催。さらに、子育て世代にはクーポンを10％割引して提供することで②子育て支援にもつなげていきます。よりごみの少ない商品にはポイント還元率を高めることで、③環境負荷の少ない経済活動も推進していきます。

※つながるくらし宣言全文は、つながるくらし宣言オリジナルパンフレットをご覧ください。
※つながるくらし宣言に関するお問い合わせ先：派和保市　市民生活課

各スライドの「重心」を毎回ずらすことで資料の単調な流れを解消。
ここでは写真も含め、重心を左側にずらして余白を生んでいます

5-4 _アイデア

地域クーポンの取り組み

1

商店街を、
地域交流の場に

今回のクーポン利用期間中、市内の各商店街を会場としたイベントを開催します。期間中の週末には、市民音楽コンサートを週替わりで実施。市役所で募集した市民サークルの皆様が、音響セットを無料で利用しながら、ステージをご自由にお使いいただけます。ステージ終了後には市民交流会を開き、市内のみなさまが商店街という場を活かしてコミュニケーションをとれる場をつくっていきます。

2

子育て世代への
支援を増やす

派和保市でより心地よく子育てを行っていただくために、3歳以下のお子さまがいる家庭に対しては、子供一人当たり1000円分の本クーポンを一律配布。さらに、0歳から18歳のお子さまがいる子育て家庭には本クーポンを購入する際に10%の割引を行います。クーポンの一律配布は、順次該当のご家庭に郵便でお届け。割引での購入を希望する子育て家庭の方は、購入時に身分証明書をご提示ください。

3

ゴミの少ない
商店街へ

派和保市では、商店街から出るプラスチックごみを減らすためにさまざまな取り組みを続けてきました。本クーポンでは、よりごみの排出が少ない商品に大きな還元率で使えるクリーンクーポンを枚数限定販売。市の基準を満たした、エコに継続的に取り組む店舗で利用できる特別なクーポンです。クーポンにはオリジナルパンフレットを添付。派和保商店街の取り組みについて楽しく知ることができます。

写真を入れるスライドでも文字数をキープ。注釈のスペースも縦組みにしてデザインとして入れ込んでいます

5-5 __ データ・グラフ

データで見る 派和保市の 商店街について

派和保市への観光目的／2022年

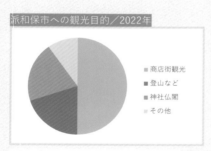

- ■ 商店街観光
- ■ 登山など
- ■ 神社仏閣
- その他

商店街が圧倒的1位

派和保市は、白い砂浜が人気の海水浴場や、清流トレッキングが楽しめる山々など、自然豊かな観光地として愛されてきました。そんななか、市独自の観光資源を全国にアピールするため、市内の観光地が協力し合い、「やっぱり、派和保市商店街！」キャンペーンを開始。その結果、商店街を目的とする観光客が急増しています。

※各データの詳細や調査方法に関しては、市公式ホームページをご覧ください。

世代別商店街利用者数

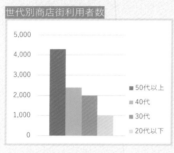

- ■ 50代以上
- ■ 40代
- ■ 30代
- ■ 20代以下

若年層にも 利用機会を

歴史ある派和保市商店街は、お店の老朽化や高齢化の影響が大きく、2015年度までは20〜30代の利用者数が減少傾向にありました。2015年度からの「やっぱり、派和保市商店街！」のキャンペーンを通じて、若年層限定の市民イベントを継続して行った結果、一定の効果がありましたが、今後も対策が必要です。

店舗種目別売上推移

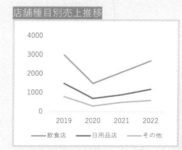

- — 飲食店
- — 日用品店
- — その他

コロナ禍の ダメージ大

2020年からのコロナ禍で、特に飲食店が多い市内の商店街は経済的に大きなダメージを受けました。営業時間の短縮が続くなか、休業や閉店を余儀なくされるお店も多数あり、市は独自の助成制度を開始しました。昨年下期から、徐々に売り上げは回復傾向にありますが、市からのサポートは継続していきます。

最も目立たせたい部分を濃いキーカラー、他は淡く調整。モノトーン＋1色に絞ることで見出しを認識しやすくしました

5-6 ＿ ステップ

1 クーポン券を 買う

まずは、派和保市役所および市内に設置した出張所内「市民生活課」カウンターにて、クーポンをお買い求めください。派和保市民の方なら、おひとり様5セットまでどなたでもお買い求めいただけます。

期間：令和5年4月1日〜6月30日

受付時間：平日午前9時〜午後5時

2 商店街で お買い物をする

本クーポン券は、派和保市内にある8つの商店街の、対象店舗でお使いいただけます。青果店や鮮魚店などの食材、さまざまな生活雑貨、喫茶、衣類など、日々のお買い物に幅広い用途での利用が可能です。

対象店舗マップ設置場所：派和保市役所入口付近カウンター

派和保観光案内所／各商店街入口　無料／吸収率に日ほか

3 クーポンで お支払いする

対象店舗でのお会計時に、クーポン券をご提示ください。1000ぱわぽんのクーポン1枚で1000円分のお買い物にご利用いただけます。クーポンをご利用いただくとオリジナルスタンプカードに押印されます。

おつりは出ませんので、ご注意ください。

利用期間を過ぎるとご利用できませんので注意ください。

4 たくさん使って 景品をゲット

スタンプを5つ集めるごとに景品をプレゼント。ぜひ、それぞれの商店街に足をお運びください。また、お買い物に中商店街で派和保市公式キャラクター「ぱわぽん」に遭遇するとラッキースタンプを1つプレゼントします。

景品引き換え期間：令和5年4月1日〜令和6年6月30日

景品引き換え場所：派和保市役所／商特当カウンター

パワポのマーカー機能を活用。全体にマーカーを引きつつ、行間を詰めることでブロック感を強め、情報を整理しました

このテンプレートを使って、文字量の多い資料をすっきり見せるには？

せめて見出しは短く。本文はマーカーを駆使

BEFORE

長い見出しでマーカーなしの場合

△ 長い文章にメリハリがなく、読みにくい

AFTER

シンプルな見出しでマーカーを使った場合

○ 重要なポイントが初見でわかる

POINT

本文は長くても問題なし。
必要な説明は
語り切ってしまおう。

1 文字量の多さは 事前に想定済み

大量の文章が読みやすくレイアウトされたこのテンプレ。特に本文はかなりの量が入るので、必要な説明を書けばOK。

2 口調も気にせず 自分のスタイルでOK

スライドのデザインはくせがないフラットな見栄え。どんな内容でも収まりがいいので、いつも通り書き進めましょう。

3 各スライドに 必ずマーカーは入れる

設定済みのマーカーを引けば読むべき箇所が一目瞭然に。マーカーを引いた文字の色は白に変更するのがおすすめ。

このテンプレートのどんなところが使いやすい？

同じ文字量でも、デザイン次第でここまで変わる

BEFORE

情報に緩急がなく目が疲れる資料

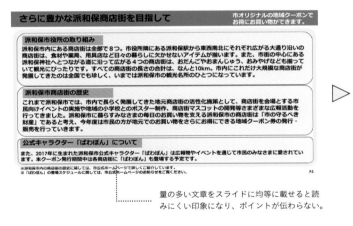

量の多い文章をスライドに均等に載せると読みにくい印象になり、ポイントが伝わらない。

AFTER

大きくメリハリをつけて視線を誘導

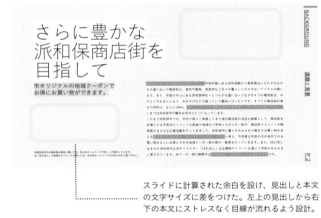

スライドに計算された余白を設け、見出しと本文の文字サイズに差をつけた。左上の見出しから右下の本文にストレスなく目線が流れるよう設計。

らくらくポイント

なんと、左右のスライドの本文は同じ内容＆文章量。
レイアウトにこだわったテンプレートだから、そのまま書きこめばOK。

同じ文章量でも、レイアウトを工夫することで伝わりやすさがここまで変わります。文字サイズや太さ、スライドの余白、色の設計など全体のバランスを細かく見ながら設定されたテンプレートは、とにかく使いやすさにこだわりました。

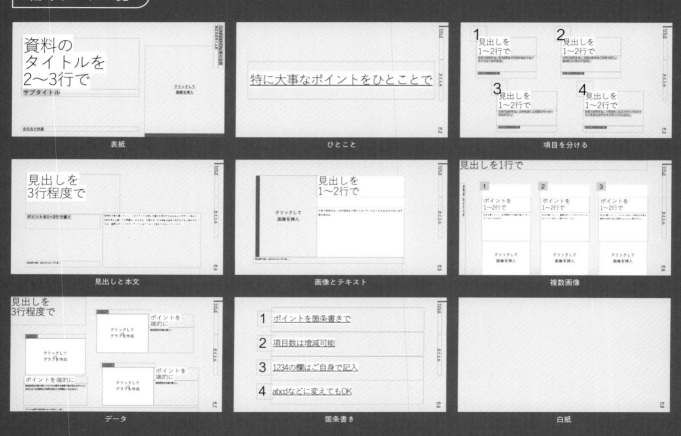

INOUE SHINYA

井上信也

アートディレクター

2012年 金沢美術工芸大学卒業。シンボリックで強い広告表現を武器に、V.I.やキャラクターデザインをはじめ、企業・商品が長期的に愛されるためのブランディング視点でのアートディレクションを心がけています。主な受賞歴に、朝日広告賞、読売広告大賞、ADFESTファイナリスト、広告電通賞など

CONCEPT & MESSAGE

　美しくて読みやすい資料の基本は「簡潔に要点がまとめられたもの」。つまり、文字数が少ない資料です。ただ、どうしても削れないときは、ぜひこのテンプレを使ってください。
　文字量が多いほど美しく見える、"文字が主役"のデザインです。ウェイトの細いフォントを使用しているため、大量のテキストでも圧がなく、パワポの"蛍光ペン機能"を活用することで、マーキングされた重要なワードそれ自体がデザイン上のアクセントになります。

空気をまとって右脳から攻める。物語のように魅せる "世界観"パワポ

プレゼンで必要なのは、相手の心をつかんで離さないこと。色使い、レイアウト、背景テクスチャー。そのすべてを制し、パワポで世界観をつくりあげることができたなら。「目も心も奪われる」を、デザインの力で実現しました。

Sample Theme:

[化粧品（香水）]

ブルー、ピンク、その中間色を複雑に用いて上質感と期待感を演出。
画像はプレゼンの象徴となる一枚絵を入れられるレイアウトに

6-2 __ バックグラウンド

BACKGROUND

1
situation
香水は、カジュアルよりも
高級志向へ。若年層のブランド
デビューとして「憧れ買い」が
ますます加速傾向に。

2
idea
個性を際立たせる、
新たなスパイスの香りを追加。
甘いだけじゃない新しい
ブランドがついに誕生。

3
plan
全国の大手百貨店での期間限定
ポップアップストアのほか、
カフェとのコラボなど、
体験できる場を最大化。

ブルーを広めにしつつ、テキスト部分はピンクで視線を誘導。
スライドの見出しはDL後に貼り替え可能です

TARGET

少し背伸びした自分を、楽しみたい。

王道でも、みんなと一緒じゃつまらない。

今回のターゲットは、仕事もプライベートも楽しむ20代以上の女性。
現在を楽しみながらも、それぞれのキャリアの中で「今より少しだけ上」を
意識することが増えてきた世代。かっこよすぎるのも少し違うし、
かわいすぎるのもいやだ。Tシャツはファストファッションで着心地よく、
だけどカバンは人と被らないお気に入りのデザイナーズブランドで。
そんな芯のある人がイメージです。

POINT　このペルソナを「気取らない個性派層」とネーミングし、
ブランドの最重要ターゲットとします。

右側に写真を大きく載せられる配置。テーマ・見出し・本文・
ポイントの文字サイズに差をつけて読みやすく設定しました

6-4 _ コンセプト

友達と出かける、デザイナーズバー。
ちょっとの個性が、品よく香る日。

PAWAPO CHICのイメージシーンは、
小さなデザイナーズバー。
センスのいい友達と、いちばん着たい服を着ていく。
そんな日にまとう、とっておきの香り。
今回の商品は、そのイメージシーンをもとに
オリジナルの香りを1年かけて開発。
上品でありながらも、確かな個性をまとわせるため、
辛口のスパイスをオリジナルで調合。
甘すぎない香りが、品格を演出します。

CONCEPT

ピンクの範囲を広めにして明るい印象にしたスライド。画像には自動
で淡い影が付くようにしており、奥行き感や空気感を出せます

グラフなどのデータにも背景に淡い中間色を設定。統一感を担保し
ています。円グラフの色もキーカラーから選べるように設定

POINT

- 香水ラインに<u>PAWAPO CHIC</u>が新登場
- 上品さと個性を兼ね備えたスパイスの香り
- 昨年に引き続きSNSを活用した広告展開を検討

MEMO　具体的なコミュニケーションプランに関しては、商品開発部・広報部同席のもと
キックオフを来週別途開催予定。スケジューリングを進める。

スライド左上の見出しは一見グレーに見えますが、さまざまなグラ
デーションを用いており、雰囲気を醸すのに一役買っています

このテンプレートを使って、世界観を感じる資料を作るには？

物語の書き出しのように、文章を書いてみる

BEFORE

「だ」「である」を多用した説明

△ 事実の羅列は、ぶっきらぼうに見える

AFTER

「語り口調」を意識した見出し

○ あえて端的にしない方が「空気感」もUP

POINT

ニュアンスを感じる
「表現」を意識してみよう

1 断定口調よりも
です・ます調が活きる

文章でも空気感を意識。人格を感じさせるなら、目の前の人に物語を読むように、思い切ってです・ます調で書いても◎。

2 句読点を意識して
雰囲気UP

語るような文章では一文が長くなることも。「、」を意識して使うことで読み手も一呼吸でき、余白が生まれます。

3 形容詞を使って
ニュアンスまで伝えよう

事実を淡々と羅列するだけでなく、「どんなふうに」を意識して説明を肉付けすることで、世界観が強まります。

このテンプレートを、さらに使いこなすには？

背景×タイトルの組み合わせでリズムを創る

らくらくポイント

**絶妙な空気感をまとった、
オリジナルの資料が簡単に**

プレゼン全体の「世界観」を大切にするこのテンプレートでは、1枚ずつ背景に流れるような変化を持たせています。一方で統一性は崩れないよう、スライドのタイトルや文字のレイアウトには規則性を持たせて設定。ダウンロードデータ内にあるオリジナルのタイトル画像を選んでスライドに貼り付けていけば、オリジナルの資料がすぐに完成します。

POINT

タイトル画像はすべて
オリジナルデザイン。
コピペですぐ貼れるのも◎

TITLE	ABOUT	MISSION	SUMMARY	STORY
BACKGROUND	CONTENTS		TO DO	CONCEPT
DATA	RESEARCH	TARGET	POINT	IDEA

表紙

ひとこと

項目を分ける

見出しと本文

画像1つ

画像2つ

データ

箇条書き

白紙

タイトル画像データ1

タイトル画像データ2

タイトル画像データ3

タイトル画像データ4

タイトル画像データ5

KUBOTA EMI

くぼた えみ

アートディレクター

東京都出身。東京藝術大学デザイン科卒業。世界観作りを強みとし、平面・立体・映像まで、総合的な企画&ディレクションを行う。主な受賞歴に、朝日広告賞、読売広告大賞、広告電通賞など。主な仕事に「パティスリー GIN NO MORI」（コンセプト・ロゴ・商品開発・GR・空間デザインetc.)、「Sanrio Baby」（コンセプト・ロゴ・GR・テキスタイルetc.)

CONCEPT & MESSAGE

　私の担当したテーマは "世界観"、ダミー商材は香水でした。このテンプレを使用して資料を制作いただくだけで、プレゼンが上質な空気を纏い、ふわりと聞き手の心に入り込む。そんなデザインを目指しました。

　もちろん、香水以外の商材でもご使用いただけます。高級感を出したいとき、心地よい落ち着きのなかに華やかさを演出したいときにご活用ください。絶妙に調香された香水のように、みなさんのプレゼンを美しく彩れたら嬉しいです。

ペタペタ貼って存在感UP
ビビッドな個性が光る
"くせモチーフ"パワポ

「あのプレゼンをした人」そんな風に覚えてもらえる味わいを資料に持たせてみました。存在感あふれる「くせ」を巧みに使いこなしたくなったら、このテンプレ。資料作りにも前向きになれるモチーフ使いを楽しみましょう。

Sample Theme:

[子供向けイベント]

表紙のスライド。鮮やかな原色を使いながらも、背景色はベージュに設定。
子どもっぽくなりすぎず、さまざまな商材に使えます

見出しはブルー、本文はグリーンを主軸に文字色を設定。フォントは
シンプルなものを採用し、テキストの視認性を高くしています

2

Target

作るを楽しむ世代。

パワポパークの各種イベントは未就学児、小学生、中学生、高校生と年齢別に開催していますが、今回のイベントはとくに小学生をターゲットにプログラムをデザインしました。型にとらわれない自由な発想で生まれたアイデアが、そのまま実現できる。そんな遊び心のある体験を通じて、作る喜びを子どもたちに届けていきます。

大きな画像を使ったスライド。画像フレームは有機的な丸みをもたせ、
親しみやすい印象に。くせモチーフもアクセントに貼れます

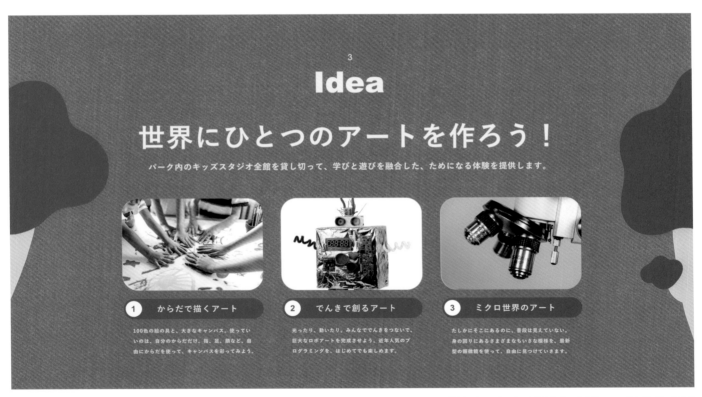

背景色がレッドのインパクトあるスライド。ここではプレゼンの要の
アイデアページとして使用。ここぞというときに使いましょう

4

Data

来園者はどんなひと？

開園以降、パワポパークへの来場者は
増え続けています。子育て世代の来園
が多く、とくに小学生以下のお子さま
のリピーターが多い状況です。昨年開
始した社会人向けの夜間イベントと
ドッグランも好評で、パークへの期待
は年々高まっています。

来場者内訳

■ 親子　■ 社会人　■ 子どものみ　■ そのほか

全体の約半数は
小学生以下の
子育て世代。

18歳以下の子どもまで含めると、全体の60％以上は
子育て世代の来場者になります。

来場者数推移

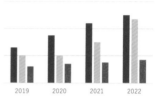

2019　2020　2021　2022

■ 親子　■ 社会人　■ 子どものみ

イベントへの
来場者数は
年々大幅に増加中。

社会人の平日夜間の利用が増え、曜日や時間帯ごと
に異なるプログラム設計が必要です。

グラフは原色を多用しつつも面積を抑えることで幼稚にならない
よう配慮。DLしたモチーフ画像を注目ポイントに貼るのも◎

5

Summary

💡 パワポパークらしい、いつでも楽しく学べる体験を。

💡 大人はあくまで脇役で。子どもこそ、アーティスト。

💡 今後は大人世代に向けてもワークショップを開催。

まとめページ。電球のモチーフ画像をアイデア用のアイコンに使用。
にぎやかさがありながら、情報を明確に伝えられるデザインです

セモチー
DLして
使って
みよう

このテンプレートを使って、くせモチーフの効いたプレゼンをするには？

大事だと思うポイントに画像をコピペしよう

BEFORE

箇条書きをすべて電球マークに

Summary

💡 0歳から楽しめる、新プログラムをスタート。

💡 大学ゼミとのコラボでつくる、新教材を。

💡 サブスクプランで新規入会者10%UPを目指す。

◯ 初期設定でもモチーフが活きている

AFTER

強調したいポイントに「！」を追加

Summary

💡 0歳から楽しめる、新プログラムをスタート。

💡 大学ゼミとのコラボでつくる、新教材を。

！

💡 サブスクプランで新規入会者10%UPを目指す。

◯ 追加すると、ポイントに目が向く

POINT

貼りすぎるくらいでOK
それも個性になる
デザイン

1 まずは、？や！から

課題や疑問、発見やアイデアなど、プレゼン全体の大きな流れをつくる箇所にモチーフを貼ってみましょう。

2 各スライドで一番重要な箇所に

モチーフを貼ることで自然と目線がいくので、各スライドで最も印象に残したいポイントにはさらに貼り付けます。

3 迷ったら柄として使うだけでも◎

多様なモチーフをダウンロードデータに格納済み。深く考えすぎず、貼りたいものを貼れば、個性的でにぎやかな印象に。

このテンプレートをさらに使いこなすには？

モチーフの意味がハマれば、納得感UP

ポイントをわかりやすくするモチーフ

疑問や課題　　発見や重要な個所　　アイデア　　特に注目

ターゲットの説明等に使いやすいモチーフ

ニュアンスを伝えるモチーフ

矢印はポイントを示すだけでなく、上昇や成長を示す記号として使っても◎

スライドをにぎやかにするモチーフ

らくらくポイント

24種のモチーフ画像は、全てオリジナル。
コピペで貼るだけ、プレゼンを印象付けられる。

テンプレートの色彩やレイアウトに合わせて作られたモチーフは、どんな組み合わせで貼っても様になるよう設計されています。目的に合わせて選べば、さらにプレゼンがわかりやすくなります。テンプレートをダウンロードして、気軽にコピペしましょう。

POINT

強調したい箇所にいちばん意味が合う
モチーフを選んでみよう

表紙

ひとこと

項目を分ける

見出しと本文

大きな画像

複数画像

データ

箇条書き

白紙

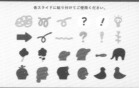
くせ画像モチーフ

MANNDA MIDORI

萬田 翠

アートディレクター

1997年、群馬県生まれ。多摩美術大学
グラフィックデザイン学科卒業。広告制
作に携わるかたわら、イラストレーター
としても活動中。最近は絵本の出版など、
活動の幅を広げている。主な受賞歴にAC
Cゴールド、広告電通賞シルバー、ADF
ESTブロンズ、日経広告賞優秀賞など

CONCEPT & MESSAGE

　パワポはシンプルなものが良しとされがちですが、たまに
はこれくらい、イラスト盛り沢山で遊びがあるものはいかが
でしょうか。

　いろんなパーツを組み合わせ、絵本を作るような気持ちで
楽しんで使用いただければと思います。

　楽しんで作ったプレゼン資料からは、そのワクワクした思
いが伝わってくるはず。

埋めるだけで思考を整理。時短が嬉しい "シンプル"パワポ

〝普通に〟誰でも読みやすいデザインが実はいちばん難しい。このテンプレートは見た目のシンプルさはもちろん、入力していくだけで言いたい事が整理されるデザインを目指しました。困ったときには、まずはここから。

Sample Theme:

[文房具（鉛筆）]

扶桑えんぴつBasic

新ブランドキックオフ資料

2024/7/20

扶桑鉛筆株式会社

読みやすい「游ゴシック」フォントを使用し、余白もあり過ぎずなさ
過ぎない。情報を明確に伝えてられるほどよさを追求しました

ひとことで言うと

扶桑えんぴつBasicを
みんなの新定番に。

スライドにデフォルト入っている「ひとことで言うと」の見出し。
穴埋め式で入力しながら、伝えたいことを整理できます

詳しく説明すると

このプロダクト最大の特徴は、ターゲットの「世代」を限定しないこと。この鉛筆が目指すのは、子どもから大人まで書きたいと思う人に、いつでもよりよい「書く時間」を継続して提供すること。そのため商品開発において、ひとつのブランドに幼児用、小学生用、中学生用、成人用と四種類の異なる直径に分けてラインナップを揃えており、幼少期から成人まで使い続けられるプロダクトを設計した。それぞれの世代ごとのコミュニケーションを計画していく。

つまり

このプロダクトが目指すのは、新時代の新定番。誰でも使えるスタンダードなのに、ちょっとの上質さが心地いい。素朴で大切。そんな1本の鉛筆を使いきる楽しみをすべての人に。

穴埋め式のスライドが続きます。詳細な説明の
下に要点をまとめていきましょう

8-4 _ ターゲット

ターゲット

ひとことで言うと
子どもから大人まで、書く人みんな。

世代	幼児〜70代　世代ごとにプロダクト展開
性別	男女
エリア	全国
特徴	デジタル化が進んでも、手書きはそんなに嫌いじゃない。暮らしをよりよくするものなら、積極的に取り入れていきたいと感じている。
キーワード	＃暮らしを楽しむ
	＃ちょっといいもの
	＃書き心地重視派

TEMPLATE：8

大きな画像を入れたスライド。ここも見出しに対し「ひとこと」で答えるかたちにしつつ、補足も書けるようにしています

アイデア

ポイント

体験型プロモーションで、書く楽しみを。

何をしたいか

2024年度のプロモーションの軸は二つ。一つはデジタルでの広告展開で、もう一つはリアルな空間を活用した体験型プロモーションイベントだ。ブランドコンセプトである「書く時間をデザインする」を軸に、さまざまな手書きアイテムをその場で作れるワークショップ型イベントを全国の売り場で展開。

中サイズの画像を入れたスライド。上の例ではアイデアの提案に使用。
「何をしたいか」を先に書いてから「ポイント」をまとめても◎

調査

鉛筆を購入する理由

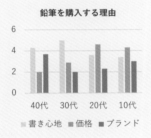

ターゲット層の購入価格

初めての使用満足度

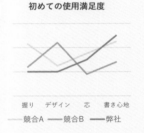

ポイント

・中学生以降ですでに書き心地重視派が出現
・書き心地を重視するほど購入する鉛筆の価格も上がっている
・一度もしくは短時間での利用であっても、握り心地・書き心地の違いを実感

グラフはグレーの濃淡に設定し、シンプルな印象に。リモートでの
プレゼンを踏まえて文字サイズが小さすぎないよう調整済み

まとめ

1. 書く時間をデザインする新鉛筆ブランドに

2. 子どもから大人まで楽しめる新定番へ

3. 体験型プロモーションを中心に展開

ポイントやまとめ用のスライド。ここまでのスライドで整理された
要点を端的に書き出しましょう

タスク

いつ	誰が	何をするか
7月末まで	広告宣伝部	デジタル広告プランのキックオフを代理店に行う
8月20日	広告宣伝部、商品開発部	各店とのエリアMTGにて企画説明
8月末まで	広告宣伝部	社長に概要説明、デジタル広告プラン決定
9月上旬	営業推進部	プロモーション実施店舗とのキックオフMTG
9月中	営業推進部、各店舗担当	プロモーション用資材配布、設置準備等
シルバーウィーク	各店舗担当	プロモーション開始、SNS連動開始
10月中旬	広告宣伝部	振りかえり、各店舗へのフィードバック

今後の作業手順などを整理できるスライド。プレゼン後の具体的な
アクションについて、リストを埋めていきましょう

このテンプレートを使って、伝わる資料を時短で作るには？

答えを埋めながら考えをまとめてみよう

ひとことで言うと

特に大事なポイントを書く

POINT

困ったときは 考えるより先に 書き始めてみよう

1 質問は、あらかじめ 各スライドに 固定されています

スライドの中に、デザインとして文言が固定されています。この「問い」はデフォルトで表示されていて、通常編集はできません。

2 テキストボックスは 自由記述です

空白のテキストボックスには、左の「特に大事なポイントを書く」ように、どんなことを書いたらよいかの「ガイド」が記されています。こちらは編集時にクリックすると空欄になるので、問いに対する答えを書いてみましょう。

らくらくポイント

**各スライドの「問い」を、思考のきっかけに。
考えが自然と整理されていくデザイン**

白紙の状態から資料を書きはじめるよりも、問いに答える方が思考を整理しやすい。見た目も思考もシンプルにまとまるテンプレ。プレゼンを伝わりやすくするさまざまな問いが、各スライドにあらかじめ表示されています。

このテンプレートをさらに使いこなすには？

編集可能な白紙スライドも活用してみよう

見出しも編集可能な「全て空欄」スライド

2ブロック

タイトル

見出し
ポイントを1行で
文章で説明する。

見出し
ポイントを1行で
文章で説明する。

リスト

リスト名

箇条書き

タイトル

1. ポイントを箇条書きで
2. 1.2.3.の数字はご自身で記入
3. abc等に変えてもOK

ダウンロードデータには「問い」が記されていない、全てのテキストを自由に編集できる汎用性の高いテンプレートも格納。文字のみでの説明や画像付きの説明など、さまざまなパターンを想定しています。「埋めるだけ」スライドでは書ききれない内容も、これらのスライドを使えばOK。さらに完成度の高い資料に仕上がります。

POINT

白紙スライドも
レイアウトがすっきり。
シンプルにまとまる

1 「埋めるだけスライド」からスタート

まずはテンプレートを見て、埋められそうなスライドから気軽に埋めてみましょう。特に重要なポイントが見えてきます。

2 主要なポイントをまずは資料化

スライドを埋めながら、大まかなプレゼンの流れをイメージ。さらに説明すべきことは何か？を検討します。

3 足したい部分は「全て空欄」スライドに

「問い」のスライドで説明しきれなかった内容は、編集が自由にできるスライドに追加。全体の流れを整えて完成です。

配布データ一覧

[埋めるだけのスライド]

表紙　　ひとこと　　補足する　　課題とゴール　　仮説をたてる

ターゲット　　アイデア　　データ　　まとめ　　タスク

[自由に編集できるスライド]

説明　　2ブロック　　3ブロック　　画像（小さめ）　　画像（大きめ）

箇条書き　　リスト　　白紙

PROFILE

YOSHIMORI HIROSUKE

吉森太助

デザイナー／アートディレクター

東京芸術大学デザイン科卒。シンプルで
記号性の強い強いデザインを得意とする。
グラフィックデザインを起点に、ロゴ、
パッケージ、キャラクター、ブランディ
ングまで、幅広い領域のデザインを手が
ける。主な受賞歴に広告電通賞、ADC
賞ノミネート、朝日広告賞、JAAA・消
費者のためになった広告賞など

CONCEPT & MESSAGE

　本テンプレは「デザイン」という言葉からよくイメージさ
れるようなものとは真逆。色も形も、とにかく装飾性を削ぎ
落とし、どんなものにも使える汎用性があり、一見すると地
味とも言える。けれども実は、端正で品良くキレイに整えら
れて仕上げられます。

　デザインもシンプルですが、資料を作るうちにいつの間に
か自分の思考もシンプルに整えられるような、そんな「デザ
インの醍醐味」が込められた、『シンプル』がテーマのテン
プレートです。

白＆黒を、むしろ味方に。
ストイックさを貫く
"モノクロ"印刷用パワポ

どんなにデザイン化された資料でも、そもそも白黒印刷しかできない時も多い。このテンプレは、そんな場合を想定して、白と黒だけで作りました。どんな印刷環境でも完成されたプレゼンをしたいときに。

Sample Theme:

［ 学校説明会 ］

印刷を前提としたモノクロテンプレ。白と黒のコントラストだからこそ生み出せる、実直さとインパクトあるデザインを目指しました

扶 桑 県 立 派 和 保 高 等 学 校
Fuso Prefectural Pawapo High School

中 学 生 向 け 説 明 会
Junior high school briefing session

2024 / 7 / 20

黒枠で囲んだテキストボックスは、いちばんのキーワードを大きな
サイズに設定して読みやすく。補足は下に入れましょう

扶桑県立派和保高等学校について

学校教育目標

校訓「ひとつひとつを、全力で。」

勉学と部活動の文武両道を目指しながら、強い意志と目標意識を持ち、自ら将来を切り開く豊かな人間性を育みます。わたしたちの高校では、何か一つだけに取り組むよりも一度しかない高校生活を十分に楽しむことが重要だと考えます。

■ 学校情報

創立 1947年 学科 普通科 全日制
全校生徒数 960名
場所 扶桑県扶桑市1-1-1 派和保駅から1.5km 徒歩15分

■ 主な進路実績

四年制大学への進学率 98% 文系進学 65% 理系進学 35%
扶桑大学 45名 扶桑医科大学 10名 扶桑科学大学 10名
県立扶桑大学 25名 扶桑工科大学 34名 ほか

P 2

TEMPLATE：9

求める生徒像

自ら学び、自ら考える姿勢を支える。本校では、生徒自らの思いや目標を何よりも尊重し、自主自律の精神で学習する姿勢をサポートする体制を整えています。通常の進路指導面談のほかに、無料の進路相談カウンセリングを自由に活用できるほか、年に2回開催される卒業生との交流会等を通じて、自らの進路について日々考える機会を提供していきます。入学から卒業まで、生徒が前向きにのびのびと学び、成長しつづけるために背中を後押しすることこそが、本校の使命であると考えています。

P3

派 和 保 高 校
で の 生 活

学習だけでなく部活動、文化祭、体育祭、その
ほか学年ごとに決められたさまざまな文化活
動を通じて、生徒の豊かな人間性の成長に貢
献します(行事の例:クラスマッチ4月、伝統芸
能体験6月、国連研修夏期休暇期間、文化祭
および体育祭9月、プログラミング研修12月、
海外への短期ホームステイプログラム ほか)。
わたしたちの高校は、受験科目と直接的に結
びつかないテーマであっても、協調性や学ぶ
力、知的好奇心を育むためにはそれらの体験
も非常に重要であると考えています。全校生徒
向けのプログラムのほかに、有志に向けた有
料の各種研修プログラムも用意しています。

ひ と つ ひ と つ を 、 全 力 で 。

P 4

グラフもモノクロのみですがストライプなどの模様や濃淡によって
差をつけています。最も重要な部分は黒一色にしましょう

主な進路実績

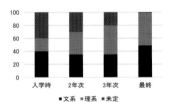

■ 国公立大　■ 私立大　■ 海外進学　■ その他

入学時　2年次　3年次　最終

■ 文系　■ 理系　■ 未定

進路実績

上記グラフは、浪人生の合格実績も含みます。すべての
データは、本校公式ホームページで公開しています。

文理選択

本校では最終的な文理選択は3年次に決定します。各科目
の総合力を培ったうえで、最適な学習に進みます。

1年次より、進路指導専任教員との面談を毎学期実施し、生徒ひとりひとりの受験カルテを作成。本校オリジナ
ルの進路指導プログラムであるこの制度を中心に、本人の意思に寄り添いながら進路指導を行います。1年次
から進路プランニングを始めることで、時間を無駄にすることなく最短ルートでの合格をサポートします。

P5

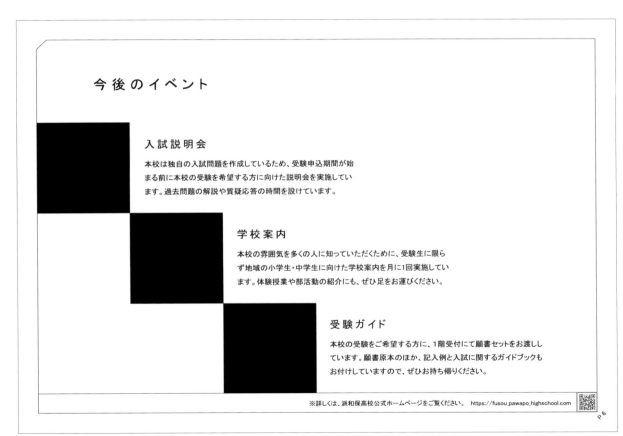

今後のイベント

入試説明会

本校は独自の入試問題を作成しているため、受験申込期間が始
まる前に本校の受験を希望する方に向けた説明会を実施してい
ます。過去問題の解説や質疑応答の時間を設けています。

学校案内

本校の雰囲気を多くの人に知っていただくために、受験生に限ら
ず地域の小学生・中学生に向けた学校案内を月に1回実施してい
ます。体験授業や部活動の紹介にも、ぜひ足をお運びください。

受験ガイド

本校の受験をご希望する方に、1階受付にて願書セットをお渡しし
ています。願書原本のほか、記入例と入試に関するガイドブックも
お付けしていますので、ぜひお持ち帰りください。

※詳しくは、派和保高校公式ホームページをご覧ください。　https://fusou_pawapo_highschool.com

P6

TEMPLATE : 9

119

このテンプレートを使って、白黒印刷でも映える資料に仕上げるには？

出力はA4横、クリップ&ホチキスは左上に

ホチキス・クリップスペース

余白として左上にスペースをデザインしています。さらに、印刷を想定し、あらかじめ周囲に空白のスペースをとっているので出力時にデザインが見切れることがありません。

紙への出力を想定

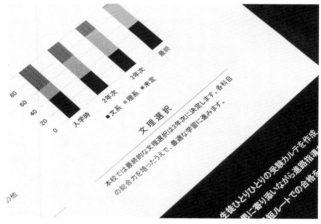

わら半紙等への印刷でも見にくくならないよう文字サイズを調整しています。

POINT

モノクロ専用デザイン、でもしっかり映える。

らくらくポイント

初めからモノクロ印刷を想定したデザイン。

このテンプレートはPC画面での表示はなく、出力を前提として制作。A4サイズでデザインし、文字サイズなども印刷テストを経て設定しました。「画面で見るより薄い」「なんか色みが変」となることはありません。

このテンプレートを、さらに使いこなすには？

異なるスライドを組み合わせて、緩急を作ろう

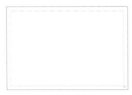  

同じモノクロでも黒の色面の使い方を各スライドで変えている

POINT

妥協のモノクロではなく伝わるモノクロ。

らくらくポイント

**ダウンロードデータに、
黒面が活きる背景バリエーション多数。**

白と黒の2色のみで、プレゼンを伝わりやすくする
スライドを複数制作。黒い色面は単なる絵柄ではな
く、スライドに書かれたテキストを強調したり、ス
ライド内の各ブロックを見やすく分けするなど、ス
ライドごとに視線の誘導にうまく使われています。
資料作成の際はさまざまなスライドを選んで組み合
わせることで、自然と資料にメリハリが生まれます。

配布データ一覧

表紙

ひとこと

ひとことと補足

2ブロック

3ブロック

たくさん説明

画像とテキスト1

画像とテキスト2

データ

箇条書き

白紙1

白紙2

白紙3

HARADA　YOSHITAKA

原田祥貴

アートディレクター

1991年生まれ川崎育ち。日本大学芸術学部デザイン学科卒業。強さのなかに遊び心もあるアートディレクションが好み。趣味はガラクタ雑貨集め。主な受賞歴にACCグランプリ、中日新聞社広告大賞最優秀賞、ADFEST MEDIA LOTUS FINA LIST、全広連鈴木三郎助地域キャンペーン大賞、朝日広告賞 準部門賞など

CONCEPT & MESSAGE

　モノクロ印刷でも映える、1色で完成された進化系パワポです。モノクロだからこその強さがあるテンプレを目指しました。白と黒の色面を大胆に使ってインパクトを出し、それぞれのページでリズムも変えることで映える資料に。

　本テンプレは印刷を想定して作っているので、印刷が切れないようあらかじめ余白をとったり、ホチキス止めのスペースも設けてみました。

　個人的にパワポは苦手で、思うように作業ができないので、諦めがあったりします。このテンプレが少しでもお役に立てればうれしいです。

少ないインクで
色鮮やかな資料を作れる。
次世代への挑戦に"エシカル"なパワポ

資料を刷る用紙の節約と同じように、「インクの節約」も大切。
もちろん刷らないことがいちばんではありますが、このテンプレートでは見た目の華やかさは担保しながらあえて「刷らない部分」をデザインとして活用することに挑戦しました。

Sample Theme:

[イベント説明会]

10-1_ タイトル

表紙用のスライド。鮮やかな色を用いながらも、白のオブジェクト
やメッシュ状のあしらいを使うことでインク量を抑えています

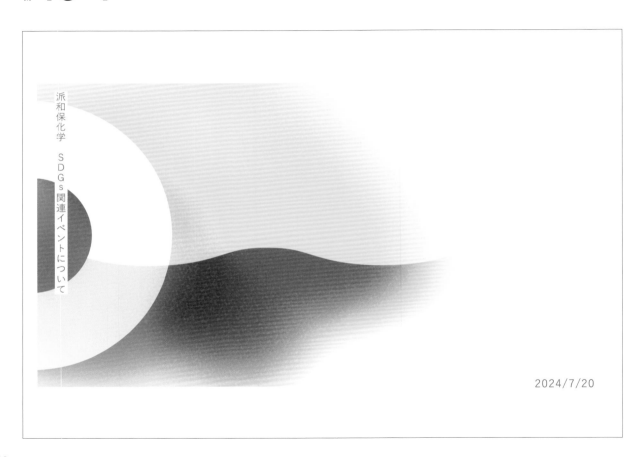

10-2 __ バックグラウンド

派和保化学 × SDGs
楽しく伝わる場づくりを

30年以上にわたり、環境負荷の少ない製品開発に

取り組んできた派和保化学。

世の中でのSDGsの高まりを受け、

派和保化学の取り組みをもっと広く届けたい。

そんな思いから生まれたのが

派和保化学×SDGsイベントです。

今年は規模をパワーアップして実施します。

ターゲット分析のスライド。テキストを読ませるため、濃度の高い
色を部分的に使用。波模様でスライドに動きが生まれます

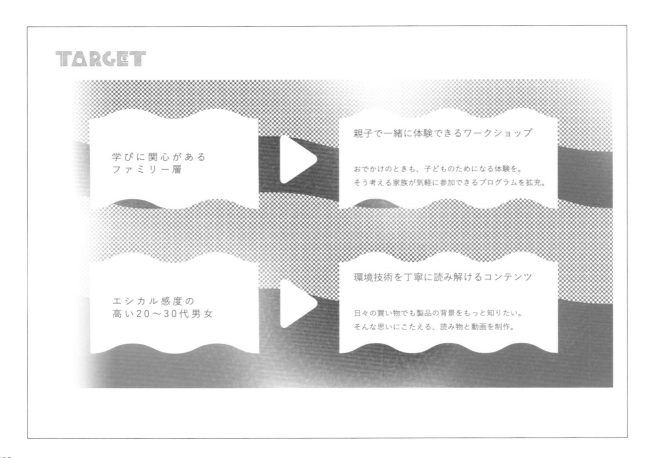

写真を使用したスライド。画像の色を淡くしても馴染むように背景
の柄を調整。丸囲みにすることで写真面積を抑えています

10-5 __ データ・グラフ

色の印象は残しながら、スライドごとにインクを使わない部分を
さまざまな柄として活用しています

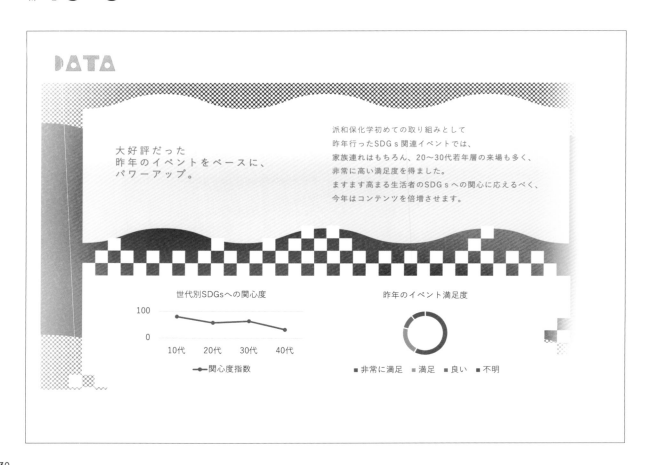

POINT

1

<u>イベント実施スケジュールの決定</u>

工場の稼働が落ち着く7〜9月の間に1か月程度、各イベントスケジュールを策定する。

2

<u>参加社員の募集、運営チーム発足</u>

各イベントの企画運営および当日の参加が可能な社員を各部署から1〜2名程度募集。

3

<u>映像コンテンツ・パネル制作開始</u>

カフェテリアで上映・展示するコンテンツ制作は、社内デザインチームに依頼済み。

<u>来月から運営チームの定例会を実施予定。</u>
毎週月曜（予定）13〜14時　会議室B

省インク
DLして
使って
みよう

今回挑戦した、省インクなデザインとは？

インクを「使わない部分」を柄にしました

BEFORE
全体に色味を使用した場合

もしもスライド全体に色を使うと、印刷時に紙全体にインクが乗ることに。より派手に見えるが、印刷コストを考えるとおすすめできない。

AFTER
インクを使わない面積をデザインに活用

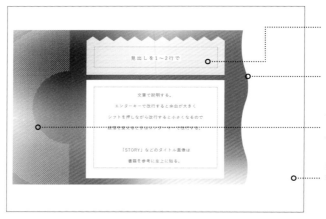

見出しを1〜2行で

文章で説明する。
エンターキーで改行すると余白が大きく
シフトを押しながら改行すると小さくなるので
　　　　　　　　　　　　　　　
「STORY」などのタイトル画像は
書籍を参考に左上に貼る。

見出しの背景部分はメッシュ柄にインクが抜けるよう白色を色面に重ねています

スライド右側を大きく白色に。波模様にすることで柄として演出

何気ない背景部分にも白色のメッシュ柄を配置しインクを使わない部分をつくりました

印刷時に自動的につくフチの余白も意図的に大きくとることで、さらにインクを節約

POINT

デザインとインク節約の両立を目指して

1枚も印刷しないほうが紙もインクも節約になる、という大前提はありながらも印刷は必須という場合を想定。「なるべくインクの量を減らしながら」も「デザインとしての完成度も保つ」という、2つを同時に追求したのが今回のテンプレートです。インク使用量を想定せずにデザインをすると、スライド全体が色面になってしまうこともありますが、このテンプレートは白い色面で生まれる余白自体を柄の一部に活用。白100%の色面は印刷した際に無色となり、印刷する紙の色がそのまま出るので自然とインクが節約されます。

このテンプレートをさらに使いこなすには？
各スライドを組み合わせつつ、資料はコンパクトに

それぞれ異なる「省インク」なデザイン

 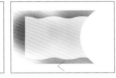

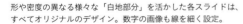

形や密度の異なる様々な「白地部分」を活かした各スライドは、
すべてオリジナルのデザイン。数字の画像も線を細く設定。

画像エリアも円形で面積を小さく

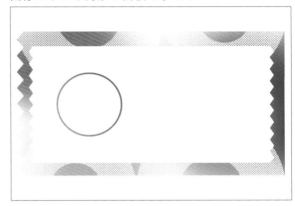

画像を入れるためのスライドでは画像エリアをクリック
すると自動で円形に切り取られるよう設定済み。

POINT

**使うだけで省インク、
でも枚数は最小限にしよう**

**1 スライドそれぞれが
省インクデザイン**

全てのスライドで、インクを使わない部分を柄として活用。デザインの完成度や読みやすさはキープしています。

**2 数字やスライドタイトルも
DLできる**

各スライドのタイトル画像や数字モチーフもインク量を考慮したオリジナルデザイン。コピペで貼るだけです。

**3 不要なページはないか
最後に考えてみる**

資料の枚数が少ないことが一番大切。印刷しなくてもOKな説明は省くなど、最後に考慮してみても◎

配布データ一覧

表紙

ひとこと

項目を分ける

見出しと本文

画像とテキスト

データ

箇条書き

白紙

タイトル画像データ

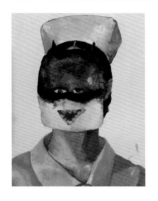

HIRATA YU

平田 優

アートディレクター／画家

武蔵野美術大学油絵科卒業。アートディ
レクター・CMプランナー。企業のオリ
ジナルキャラクターの開発を多く手掛け
る。広告制作の傍ら、油画や水彩画など
個人でアート制作活動を行う。個展「顔」
展（2011）、個展「数字の森」展（2015）、
その他企画展にも多数参加している

CONCEPT & MESSAGE

　印刷時のインク量をなるべく減らすことを目標に、尚且つ
華やかなテンプレートを目指しました。白の色面矩形を印象
的に用いることで、資料内の文章整理をしやすく、またイン
クが印刷される面積を少なくする工夫をしています。

　矩形を立たせるため、背景はあえて手書きによる有機的な
グラデーションに。シンプルにすることでインクを減らすの
ではなく、強めのインパクトがありながらも環境に配慮され
ているテンプレートに仕上げました。

ダウンロードサイトのご案内

各テンプレの
ダウンロードは
こちらから！

https://nikkan-spa.jp/powerpoint555

[推奨環境]
Windows OS Microsoft PowerPoint搭載PC

　本書で配布しているPowerPointテンプレートデータは全てWindows OSのMicrosoft PowerPointを搭載したPCでのダウンロード・利用を想定しています。

　テンプレートの制作にはMicrosoft® PowerPoint® for Microsoft 365 MSO（16.0.14326.21244）32 ビットを利用しました。

　テンプレートに使用したフォントは多くのPowerPointにデフォルトで搭載されているものから選び、原則として追加フォントのダウンロード等は必要がないようにしていますが、お使いのPCのOSおよびPowerPointのバージョンによっては一部レイアウト等が崩れる可能性があります（特にMac OSのPCの場合）。

　その際は、本書に掲載のレイアウトを参考にしながら、資料作成にお役立てください。

CONCLUSION

おわりに

資料を「整える」ために使っていた時間を、
アイデアを「考える」時間に。

　資料を作るということは、伝えたい思いがあるということ。資料作りは、その部分になるべく時間をかけられたらいいな、と常々感じています。

　だからこそ、本書はパワーポイントのテクニックだけを指南する「教本」にはしませんでした。私たちひとりひとりがテクニックを磨く時間も〝残業〟だからです。

　デザインの理論やテクニックがあるのなら、あらかじめプロのアートディレクターがテンプレートに仕込んでおけばいい。

　使う人は「どんな風に思いを伝えたいか」だけを考えて、選んだテンプレをダウンロードすれば、すぐに作業を開始できる。そしてそれが、より伝わる資料に自然となっている。

　今回は、そんなテンプレートとしての実用性の高さにこだわりました。みなさまひとりひとりの日々の作業時間が、より有意義になり、伝えたい思いが伝わりますように。

　本書がその一助となることを心より願っています。

川崎紗奈

コピーライター・UXリサーチャー

2012年株式会社電通入社。入社以来、コピーライティ
ングや映像制作等の広告クリエイティブ制作に従事。主
な受賞歴に、朝日広告賞　審査員賞、ACC賞ゴールド、
釜山国際広告祭YOUNG STARS BRONZE、日本観光ポ
スターコンクールインバウンド賞など。

美しすぎるパワポ

STAFF

企画・執筆	川崎紗奈
テンプレートデザイン	一森加奈子、石崎莉子、加藤寛之、多田明日香、井上信也、くぼたえみ、萬田 翠、吉森太助、原田祥貴、平田 優
企画協力	服部展明、奥野圭亮、宮永耕治（上記、すべて電通）、島 朋子（bless you）、三觜直樹、杉山雅志（ジェ・シー・スパーク）
デザイン	細山田光宣、千本 聡（細山田デザイン事務所）
編集	工藤真之介（扶桑社）

美しすぎるパワポ

2024年7月31日　初版第1刷発行

著者　　　川崎紗奈
発行者　　秋尾弘史
発行所　　株式会社 扶桑社
　　　　　〒105-8070
　　　　　東京都港区海岸1-2-20　汐留ビルディング
　　　　　03-5843-8194（編集）
　　　　　03-5843-8143（メールセンター）
　　　　　www.fusosha.co.jp

印刷・製本　　TOPPANクロレ株式会社